Opération
Saint-Valentin

ZAG Miraculous™  is a trademark of ZAG – Method. © 2016 ZAG – Method – Tous droits réservés.

© 2016 Zagtoon – Method Animation – Toei – Samg – SK Broadband – AB
MIRACULOUS est une marque déposée
par ZAGTOON & METHOD ANIMATION

Une série réalisée par Thomas Astruc
Bible littéraire : Thomas Astruc
Bible graphique : Thomas Astruc et Nathanaël Bronn
D'après l'épisode « Le Disloceur »
écrit par Régis Jaulin

© 2016 Hachette Livre, pour la présente édition.

Novélisation : Catherine Kalengula
Conception graphique : Carla de Cruylles
Mise en pages : Célia Gabilloux

Hachette Livre, 58, rue Jean-Bleuzen, 92178 Vanves Cedex.

Opération Saint-Valentin

hachette
JEUNESSE

Marinette & Ladybug

Dans la vie, Marinette a deux passions : la mode et... Adrien ! Le problème, c'est qu'elle perd tous ses moyens lorsqu'elle doit lui parler. Pourtant, Marinette cache un incroyable secret : elle est Ladybug, une super-héroïne, sûre d'elle et déterminée !

Tikki

C'est le kwami de Marinette. Elle lui permet de se transformer en Ladybug, lorsqu'elle intègre ses boucles d'oreilles magiques, les Miraculous. Calme et rassurante, Tikki est toujours de bon conseil !

Adrien
& Chat Noir

Adrien est LE garçon parfait : beau, sympa et populaire ! Comme Marinette, il mène lui aussi une double vie ! Il est Chat Noir, le complice de Ladybug, dont il est amoureux sans connaître sa véritable identité...

Plagg

Paresseux et un peu ronchon, le kwami d'Adrien ne l'aide pas toujours de gaîté de cœur ! Pour permettre à son complice de se transformer, Plagg doit intégrer sa chevalière.

Papillon

Personne ne sait
qui il est en réalité
ni où il se cache. Il a le pouvoir
de repérer les gens en colère
et de les transformer à distance
en supervilains grâce à ses akumas.
Son but ? Voler à Ladybug et
à Chat Noir leurs Miraculous,
qui sont les objets magiques
les plus puissants
au monde.

Les akumas

Ces papillons chargés de magie peuvent intégrer
l'objet fétiche d'une personne en colère et ainsi
la transformer en supervilain.

Aujourd'hui, c'est la Saint-Valentin. Autrement dit, l'occasion ou jamais d'avouer mes sentiments à Adrien. Enfin, si j'en ai le courage… Chaque fois que j'essaie de lui parler, c'est la même chose – ou plutôt, la même catastrophe. Il me regarde avec ses grands yeux – ses yeux sublimes qui me font perdre tous mes moyens – et je me mets à rougir, à trembler, à bafouiller. Bref, à me ridiculiser. Et au lieu de l'inviter au cinéma par exemple, je finis par lui demander un pauvre stylo...

Lamentable !

Résultat : MON Adrien ignore toujours que je l'aime de tout mon cœur. Pourtant, avec la meute de filles qui lui court après, je ferais mieux d'agir. Et vite !

Pff... Facile à dire !

Mais si je ne fais rien, le pire risque d'arriver : Adrien pourrait tomber amoureux de cette peste de Chloé. Le cauchemar ! Je refuse de l'envisager une seule seconde.

Tandis que nous sommes en classe, j'écoute notre professeure de français avec attention. Elle nous parle des contes de fées, ça tombe bien !

— Dans la plupart des histoires, le prince rompt le sortilège en embrassant

la princesse, explique-t-elle. Qui peut me dire pourquoi ?

Mon imagination se met à galoper. Je vois la scène d'ici : Adrien-Charmant, plongé dans un sommeil éternel à cause de la vilaine sorcière Chloé. Moi, Chevalier-Marinette, je vole au secours de l'élu de mon cœur sur mon fier destrier. Chloé-Maléfique m'envoie son Dragon-Sabrina ? Pas de problème, je dégaine mon yo-yo !

Alors que je rêve les yeux grands ouverts, Rose se précipite pour lever la main. Normal, c'est LA spécialiste en contes de fées.

— Parce que seul l'amour peut vaincre la haine… répond-elle d'une voix vibrante d'émotion.

— Exactement ! la félicite la professeure.

Mais Max – lui, c'est l'expert en statistiques – tient à mettre son grain de sel.

— Techniquement, madame, ce raisonnement ne se vérifie que dans approximativement 87 % des contes de fées et…

Ou l'art de casser l'ambiance. Je vous jure, en voilà un qui ne comprend vraiment rien à l'amour ! Les chiffres, c'est bon pour les mathématiques, pas pour les sentiments.

— Merci pour ces précisions, Max ! l'interrompt notre professeure.

Comme je suis assise juste derrière Adrien, j'ai la chance incroyable de pouvoir admirer sa nuque à longueur de journée. Bon, c'est vrai, la plupart du temps, il ne remarque même pas que je suis là… Mais moi, je le vois ! D'ailleurs, je me demande ce qu'il est en train d'écrire sur sa feuille. En tout cas, ça a l'air très important. Il n'arrête pas de soupirer, comme s'il hésitait. On dirait moi lorsque je tente de lui avouer ce que je ressens pour lui…

Petit un : aujourd'hui, c'est la Saint-Valentin.

Petit deux : Adrien écrit quelque chose qui le rend nerveux.

Pas besoin d'être Sherlock Holmes pour comprendre qu'il s'agit d'une déclaration d'amour !

Je dois absolument savoir qui est sa Valentine. C'est une question de vie ou de mort ! Je me penche dans tous les sens pour essayer de lire sa lettre, sans succès.

La professeure remarque aussi qu'il est distrait. Elle s'approche de lui.

— Adrien, j'espère que ce que vous écrivez est en lien avec le cours. Pouvez-vous répéter ce que je viens de dire ?

Mon cœur s'affole. Pauvre Adrien ! Comment va-t-il s'en sortir ? Il lève les

yeux – des yeux archi-sublimes, comme je l'ai déjà dit.

— En général, le prince rompt le sortilège en embrassant la princesse, car seul l'amour peut vaincre la haine, répond-il calmement.

Je vous ai déjà dit à quel point il était parfait ? Je soupire, soulagée.

— C'est ça, confirme la professeure tandis que la cloche retentit. Pour le prochain cours, n'oubliez pas de terminer *La Belle au bois dormant* de Charles Perrault. Et joyeuse Saint-Valentin à tous !

Alors que tout le monde s'empresse de quitter la salle, Adrien reste planté devant sa lettre, l'air agacé. Il tapote son bureau du bout des doigts. Je dois en avoir le cœur net, foi de Marinette !

— Vas-y, Alya ! je dis à ma meilleure amie. Je te rejoins dehors.

Elle hoche la tête, puis s'en va. J'ai le champ libre pour accomplir ma mission du jour : découvrir à qui Adrien veut écrire. J'essaie de regarder par-dessus son épaule. Impossible de voir quoi que ce soit ! Au bout de quelques instants, il chiffonne sa feuille et se lève pour la jeter. Une seule solution : me cacher sous mon bureau ! J'attends qu'Adrien soit parti avant de me ruer sur la corbeille. Tandis que j'attrape la boule de papier, Chloé et Sabrina surgissent derrière moi. Je ne les avais pas entendues venir. Paniquée, je cache aussitôt la feuille dans mon dos.

— Alors, Marinette, tu cherches quelque chose à manger ? se moque Chloé.

— Elle espère peut-être trouver de nouveaux vêtements ! ricane son acolyte en quittant la pièce.

Je vous jure, ce qu'elles peuvent m'énerver, ces deux-là ! Un jour, elles verront, je deviendrai une styliste super célèbre, et elles se battront pour porter mes créations. En attendant, je dois les supporter au collège. Pas toujours facile…

Tikki sort la tête de mon sac. C'est mon fidèle kwami, qui veille tout le temps sur moi, comme une amie.

— Ne fais pas attention à elles ! me conseille-t-elle. Elles ne le méritent pas.

— Tu as raison.

De toute façon, il y a plus important pour l'instant. Je me mets à lire la lettre d'Adrien à voix haute.

— « Tes cheveux sont noirs de jais, tes yeux bleus comme les cieux.

Je me demande qui tu es derrière ce masque mystérieux…

Je te vois tous les jours, et j'aimerais que tu me fasses signe.

Je t'aimerai pour toujours. Veux-tu être ma Valentine ? »

— Waouh ! s'exclame Tikki. Ça, c'est un poème d'amour !

— Mais de qui peut-il bien parler ? je me demande, perplexe. Des cheveux noirs de jais, des yeux bleus comme les cieux…

— Euh… de toi ! répond mon kwami.

Ridicule ! J'éclate de rire.

— Moi ?! Mais non ! Plein d'autres filles ont les cheveux noirs et les yeux bleus.

En tout cas, au moins, je suis rassurée : avec ses cheveux blond platine, Chloé est éliminée d'office. Mais alors, qui cela peut-il bien être ? Une top model qui travaille avec lui ? Une championne d'escrime ?

Cela pourrait expliquer cette étrange histoire de masque…

Je me creuse la tête.

— D'après toi, qu'est-ce qu'il veut dire par « masque mystérieux » ? j'interroge Tikki.

Mon amie soupire, l'air désespéré.

— C'est de la poésie ! m'explique-t-elle. Ça signifie qu'il souhaite

découvrir qui tu es à l'intérieur. Il veut apprendre à te connaître. Je suis sûre qu'il parle de toi !

Oh ! là, là ! Je n'arrive pas à y croire... Je saute de joie.

— Pince-moi, je rêve !

Me voilà plongée en plein conte de fées ! Maintenant, je n'ai plus qu'à parler à Adrien, les yeux dans les yeux.

Mais ça, c'est une autre histoire...

Mission Saint-Valentin !

Je n'en reviens toujours pas : Adrien m'a écrit un poème de Saint-Valentin, à moi, Marinette !

Il y a juste deux petits soucis.

Primo : je ne suis pas supposée l'avoir lu, puisqu'il était roulé en boule au fond d'une corbeille à papier.

Deuzio : la feuille est toute froissée.

Peu importe. Je la garderai jusqu'à la fin de mes jours, serrée contre mon cœur !

Alors que je sors du collège sur un petit nuage rose, Alya m'attrape la main et m'entraîne vers Max et Kim, un grand costaud qui adore le sport. Celui-ci tient entre ses mains

un écrin en forme de cœur, comme s'il s'agissait d'un trésor.

Si vous voulez mon avis, il y a de l'amour dans l'air… Mais bon, je ne suis pas jalouse, car rien ne vaut le magnifique poème que m'a écrit Adrien. RIEN ! On pourrait m'offrir en échange une montagne de diamants, je n'en voudrais même pas.

— Ça brille, dis donc ! s'extasie Alya devant le splendide bijou. C'est pour moi ?

— Négatif, l'informe Max. La bénéficiaire de cette broche a déjà été déterminée, et il s'agit de…

Effaré, Kim plaque une main sur la bouche de son ami.

— Chut ! lui ordonne-t-il. Les murs ont des oreilles.

Dommage, j'aurais bien aimé connaître l'identité de cette petite chanceuse, moi. C'est tellement romantique… Oh, mais j'y pense ! Si Adrien a jeté son poème, c'est peut-être parce qu'il a décidé de m'offrir autre chose. Une bague, par exemple ? Il va me demander en mariage ! Je l'imagine, un genou à terre, me tendant son cadeau et me murmurant, les yeux brillants : « Marinette, veux-tu m'épouser ? »

— Cette broche est trop belle ! je déclare, rêveuse. Ça va lui faire super plaisir !

— Hum… il faut encore qu'elle l'accepte, objecte Kim, soucieux. Et si elle n'en voulait pas ?

Il a l'air complètement affolé. SOS, Marinette à la rescousse ! Maintenant que je sais qu'Adrien a des sentiments pour moi, je me sens pousser des ailes.

— Elle va l'adorer, t'inquiète ! je le rassure, avec une tonne d'enthousiasme. N'aie pas peur ! Fonce, vas-y ! Surtout, il ne faut pas que tu aies de regrets !

Je me montre très convaincante. D'ailleurs, Kim semble plus confiant.

— OK, alors l'opération Saint-Valentin est lancée ! s'exclame-t-il.

Max, le roi de l'organisation, a tout prévu. Y compris une carte de Paris sur laquelle est surligné en jaune le trajet qu'emprunte la jeune fille chaque jour et en rouge celui que Kim doit prendre. Avec un plan aussi bien ficelé – et mes encouragements ! –, sa Valentine va lui tomber dans les bras. C'est sûr et certain !

— En courant à 16 km/h, tu auras une minute et demie d'avance sur elle, explique Max à son ami. Vous vous croiserez sur le pont des Arts. C'est le troisième endroit le plus romantique de Paris. Maintenant, *go !*

Kim part en courant.

— Merci, Marinette ! me lance-t-il une dernière fois, avant de disparaître au coin de la rue.

J'espère que tout va fonctionner pour lui.

À quelques mètres de nous, Adrien monte dans la voiture mise à disposition par son père. Le chauffeur – qui fait drôlement peur avec sa carrure de King Kong – referme la portière. Et mon prince charmant s'en va, loin de moi...

Alya, qui a assisté à toute la scène, se tourne vers moi.

— J'en connais une qui est forte pour donner des conseils mais pas pour les suivre.

Elle marque un point. C'est facile de dire aux autres ce qu'ils doivent faire.

— Tu as raison… je lui réponds. Il est temps que j'avoue tout à Adrien.

Ça y est, ma décision est prise !

— Non, tu es sérieuse ?! s'étonne ma meilleure amie.

— Oui, je te jure ! Je vais lui révéler ce que je ressens pour lui... Enfin, je vais le lui écrire sur une carte.

L'opération Saint-Valentin continue !

De retour chez moi, je sors aussitôt une feuille et un stylo. J'écris les deux premiers mots : « Cher Adrien ». Après, ça se complique. Moi qui pensais que si je n'avais pas qui-on-sait en face de moi, tout serait plus facile... Eh bien, je me mettais le doigt dans l'œil !

Je finis par rayer « Cher Adrien », que je trouve nullissime. C'est vrai, quoi, on dirait que je m'adresse à un vieux tonton éloigné !

— *Argh,* ce n'est pas mon truc, les lettres d'amour ! je me lamente, affalée sur mon bureau. J'écris comme une grosse débilosaure !

Tikki se met à virevolter au-dessus de ma tête.

— Il n'y a que toi pour employer des expressions comme « débilosaure » ! s'amuse-t-elle.

Au lieu de répondre, je m'avachis un peu plus sur ma chaise. Ah, ça, inventer des mots, je sais faire ! Mais pour le reste...

— Relax, Marinette ! me dit doucement Tikki. Je te taquine. Pense fort à lui et, ensuite, laisse parler ton cœur.

Soudain, mon regard tombe sur la lettre d'Adrien, que j'ai accrochée au mur. Et là, tout s'éclaire. Je vais répondre à son poème par... un poème !

Lorsque Alya me rejoint avec une jolie carte rose, je suis folle de joie. C'est parfait ! Je me lance, et les mots coulent tout seuls, depuis mon cœur jusqu'au papier – je crois que je commence vraiment à devenir poète, là.

— Et voilà ! je m'exclame fièrement en écrivant le point final.

Penchée par-dessus mon épaule, Alya paraît satisfaite, elle aussi. Il faut dire que ce n'est pas la première fois que j'essaie de parler à Adrien. Loin de là.

— N'oublie pas de signer, me rappelle-t-elle.

Au même instant, une coccinelle vient se poser sur ma carte. D'après Alya, c'est un porte-bonheur.

Pourvu qu'Adrien aime mon poème…

Dans sa chambre, Adrien a les yeux rivés sur le Ladyblog, le blog tenu par Alya qui retrace toutes les missions de Ladybug. Il ne fait que ça depuis des heures… sur ses quatre écrans d'ordinateur !

— Et alors ?! s'agace Plagg. Elle a deux yeux, deux bras et deux jambes, comme tout le monde, non ? Comment peux-tu être amoureux d'elle ? Tu ne sais même pas qui elle est réellement.

— Tu ne connais rien à l'amour, fait remarquer Adrien.

— Bien sûr que si ! réplique son kwami. J'aime un peu le chèvre,

beaucoup le gruyère, et j'adore le camembert !

Adrien soupire. Comment Plagg pourrait-il le comprendre ? Son seul amour dans la vie, c'est le fromage ! Le garçon se lève et va regarder par la fenêtre. Il pense à sa Lady… Il voulait lui envoyer un poème mais, finalement, il a changé d'avis. Il va lui dire en face à quel point elle compte pour lui. Il suffit de quelques mots : « je t'aime ».

Facile.

Enfin, en théorie…

Pendant ce temps, sur le pont des Arts, Kim se dirige vers la fille de ses rêves : Chloé.

— On peut savoir ce que tu fais là, toi ? demande-t-elle sèchement en le voyant se planter devant elle.

Panique à bord ! Le pauvre garçon se met à bafouiller.

— Ben... je...

— Ben... tu... l'imite-t-elle sur un ton moqueur.

N'écoutant que son cœur, Kim s'agenouille... pile dans une flaque d'eau ! Tant pis s'il est un peu mouillé. C'est le moment. Il tend l'écrin.

— Veux-tu être ma Valentine ? lui souffle-t-il.

La suite est digne d'un film d'horreur. Un cycliste passe juste à côté de lui et l'éclabousse copieusement. Kim a à peine le temps de s'essuyer qu'un vieil emballage porté par la brise vient se coller sur son visage. L'impitoyable Chloé le prend aussitôt en photo – cliché ô combien humiliant ! – et s'empresse de l'envoyer aux autres élèves de la classe. Sans oublier le grand final : elle lui annonce qu'elle est amoureuse d'un garçon bien plus

intéressant que lui et poursuit son chemin comme si de rien n'était…

C'est ce qui s'appelle se prendre un vent. Un vent qui fait très mal.

Seul sur le pont, Kim s'écroule en pleurs. Son joli rêve s'est envolé.

Tout comme le maléfique akuma envoyé par Papillon, qui fonce droit sur lui.

Bye, bye, gentil Kim… Place au Disloceur. Deux ailes, un arc, des flèches et beaucoup de fureur !

Attention, Paris ! Aujourd'hui, les cœurs vont se briser en série…

Supervilain en vue !

Dernière étape de l'opération
Saint-Valentin : poster ma carte. Alya
et moi – et deux pommes d'amour en
forme de cœur offertes par papa –,
nous sortons de la maison, direction
la boîte aux lettres la plus proche.
Mais là, j'hésite. Et si jamais Adrien
détestait mon poème ? S'il le trouvait

ridicule, plat, sans intérêt ? Ou alors, imaginons une petite seconde que Tikki se soit trompée : s'il écrivait en fait à une autre fille ? Ce serait l'horreur ! Je n'oserais plus jamais le regarder en face. Déjà que j'ai du mal d'habitude...

— Allez, Marinette ! m'encourage Alya. Fais-le avant de te dégonfler !

Elle a raison. Je lui tends ma pomme d'amour et je glisse l'enveloppe à travers la fente, d'une main tremblante. Mission accomplie ! Aussi contente que moi, Alya pousse de grands cris de joie. Demain, Adrien recevra ma carte. Il sera si heureux qu'il me tombera dans les bras. Et ce sera le début d'une longue et belle histoire d'amour…

J'ai trop hâte !

Alors que je me réjouis avec Alya, nous recevons un message de Chloé. C'est bien la première fois qu'elle nous écrit, celle-là ! Une erreur, sans doute. Je jette un coup d'œil à mon téléphone et découvre une photo de Kim, pataugeant dans une flaque d'eau, son écrin à la main et un paquet de chips vide plaqué sur la joue… J'ai de la peine pour lui.

— Ah, mais quelle peste ! s'exclame Alya.

— Je pense exactement la même chose. Dire que c'est moi qui ai conseillé à Kim de se déclarer ! Il doit

vraiment m'en vouloir, à l'heure qu'il est. En même temps, si j'avais su que sa Valentine n'était autre que Chloé, je lui aurais dit de laisser tomber sur-le-champ.

— En tout cas, j'espère qu'Adrien ne réagira pas comme elle ! poursuit mon amie.

Dans ma tête, c'est l'affolement général ! Mais qu'est-ce que j'ai fait ?! Je saute sur la boîte aux lettres et je tente de la secouer pour l'ouvrir. Bien sûr, elle ne bouge pas d'un millimètre. Je n'ai plus qu'à rester là jusqu'à ce que le facteur vienne relever le courrier. Dès qu'il arrivera, je récupérerai ma carte et je la jetterai *illico* dans la Seine…

— Mais non, je disais ça pour blaguer ! s'esclaffe Alya, en me voyant paniquer. Adrien n'agirait jamais comme ça.

À cet instant, un drôle d'oiseau apparaît dans le ciel. Un volatile d'une espèce que je connais bien : celle des supervilains ! Il regarde les pommes d'amour que tient Alya.

— Tous les cœurs doivent être brisés ! rugit-il, furieux.

Oh non, il lance une flèche sur mon amie ! En la touchant, le projectile s'évapore dans un nuage de fumée. Ouf, elle n'a pas l'air blessée ! Mais je suis quand même inquiète... Papillon est prêt à tout pour s'emparer de nos Miraculous, et ses akumas sont redoutables.

— Alya, ça va ?

Sous mes yeux stupéfaits, elle me repousse brutalement et me colle les deux pommes d'amour sur la poitrine. Que se passe-t-il ?

— Tu es sérieuse ? je demande, interloquée.

Lorsqu'elle relève la tête, elle a les lèvres noires et le regard mauvais. Ça, ce n'est pas bon signe du tout !

— Tu n'as jamais été ma meilleure amie ! tonne-t-elle sur un ton glacial.

Tu es trop nulle, et je suis sûre qu'Adrien va mourir de rire quand il lira ton poème tout pourri !

Sur ces paroles, elle s'enfuit dans un concert de ricanements. C'est horrible, on dirait qu'elle me hait !

Je lève les yeux vers le briseur de cœurs, qui continue de mitrailler les passants. Accroché à la lanière de son carquois, je remarque un bijou que j'ai déjà vu quelque part... La broche de Kim ! Oh non, il s'est fait akumatiser ! Et le pire, c'est que j'y suis pour quelque chose. Mais qu'est-ce qui m'a pris de vouloir jouer la conseillère en amour ?! Enfin, rien de tout cela ne serait arrivé sans la méchanceté de Chloé...

L'oiseau vengeur fend le ciel, puis disparaît. Il faut que je le retrouve, et vite !

Je file au parc me cacher derrière un banc.

— Tikki, transforme-moi !

À mon signal, mon kwami intègre mes boucles d'oreilles magiques, et je deviens Ladybug.

Je cours de toit en toit : saltos, pirouettes, bonds de géant au-dessus des rues… Je finis par retrouver le supervilain, juché sur une cheminée et prêt à faire une nouvelle victime : Chloé ! Avec Sabrina, elle se tient devant l'hôtel de son père, qui est aussi le maire de Paris. Sans perdre une seconde, je dévie la flèche maléfique à l'aide de mon yo-yo. Sabrina en profite pour entraîner son amie à l'intérieur du palace.

— Arrête, Kim ! je crie, du haut d'une autre cheminée.

— Je ne suis pas Kim… rétorque-t-il. Je suis le Dislocœur. Et rien ne peut m'arrêter ! Si je n'ai pas le droit à l'amour, alors personne n'y aura droit !

J'essaie de l'amadouer.

— OK, Dislocœur, je comprends. Chloé n'a vraiment pas été cool avec

50

toi, mais ce n'est pas une raison pour que tout Paris subisse ta colère.

— Si, justement ! scande la grande brute en brandissant son arc. Dis adieu à ceux que tu aimes, Ladybug, parce que, maintenant, tu vas les détester !

De toute évidence, il faudra plus qu'un beau discours pour le calmer...

Un petit lancer de yo-yo magique, et je détruis la flèche qu'il m'envoie. Le problème, c'est qu'elle est suivie de beaucoup d'autres ! Droite, gauche, je bondis dans tous les sens pour les éviter. Je tente de riposter, mais les toits sont super glissants, et le Dislocœur est super rapide. Tandis qu'il me poursuit, je fais tournoyer mon yo-yo à toute vitesse au-dessus de ma tête, en mode bouclier.

Dans ma course folle, je dérape sur un toit. Heureusement, je réussis à me rattraper à une gouttière, toujours grâce à mon précieux yo-yo. Je me demande ce que je ferais sans lui ! Suspendue la tête en bas, comme une araignée à son fil, je guette l'oiseau de malheur. Ouf, il ne me voit pas !

Au moment où il s'éloigne, j'entends une voix... C'est Chat Noir ! Il a planté son bâton télescopique à l'horizontale contre la façade de l'immeuble et s'en sert de perchoir. Je ne sais pas comment il a su où j'étais mais, entre nous, je suis bien contente qu'il soit là.

— Eh bien, tu tombes à point, ma Lady ! me lance-t-il sur un ton charmeur. Il faut que je te parle.

Il me tend la main, et je le rejoins, à plusieurs mètres du sol.

— Ce n'est pas le moment, je réponds. Disloccœur est...

Tout bizarre, il pose un doigt sur ma bouche pour m'interrompre. Mais qu'est-ce qu'il lui arrive ?

— Chut ! m'ordonne-t-il en me regardant droit dans les yeux. Je me suis promis de te le dire dès que je te verrais : Ladybug, je t'ai...

Soudain, il semble apercevoir quelque chose derrière moi.

— Attention ! hurle-t-il.

Je n'ai pas le temps de réagir. Chat Noir me prend dans ses bras et me cache derrière lui pour me protéger. Oh non ! La flèche du Dislocœur l'atteint en plein dos !

— Chat Noir ? je murmure, horrifiée.

— Ladybug... je te hais de tout mon cœur ! vocifère-t-il. Tu n'es rien pour moi, je te déteste !

Lorsqu'il relève la tête, ses lèvres sont devenues noires, et son regard est méconnaissable. Soudain, il me serre comme s'il cherchait à m'étouffer !

D'abord Alya, ensuite mon coéquipier... On dirait que Papillon veut me séparer de tous les gens qui me sont chers. Mais je ne vais pas le laisser faire. Hors de question ! J'écrase bien fort le pied de Chat Noir pour qu'il me lâche, puis je fonce me réfugier dans le hall de l'hôtel, où se trouve Chloé…

Haine ou... amour ?

Dans l'hôtel, je retrouve Chloé et Sabrina, tapies derrière une table. En me voyant, elles se redressent.

— Ladybug ! s'exclame la fille du maire de Paris, avec un petit air hautain. *Pff...* Ce n'est pas trop tôt ! Où étais-tu passée ?

Pourquoi est-ce que sa réaction ne me surprend pas ? Mais même si je ne l'aime pas, c'est mon travail de veiller sur elle et d'empêcher la haine de se répandre aux quatre coins de la ville.

— Il faut que tu t'en-fuies ! je lui explique. Ton ami Kim a été transformé en Dislocœur, et je ne sais pas ce qu'il va te faire s'il te retrouve.

— Moi ? s'étonne-t-elle. Mais pourquoi est-ce que cet imbécile de Kim m'en voudrait personnellement ?

Je dois sûrement être en train de rêver... Elle ne peut pas être sérieuse, là ! Elle passe un bras

autour de mes épaules, comme si nous étions de vieilles copines.

— Ah, c'est sans doute à cause de ce truc ! se vante-t-elle en désignant une affiche encadrée gisant sur le trottoir, qu'elle n'a pas eu le temps d'emporter dans sa fuite. Kim est jaloux, ou quelque chose comme ça.

Je regarde à travers la porte vitrée. C'est une affiche de MON Adrien posant pour une pub de parfum – stupéfiant de charme, comme toujours. En bas, il est inscrit : « À Chloé, la fille la plus géniale du monde et l'amour de ma vie, signé Adrien. »

Si je n'avais pas lu son magnifique poème – écrit rien que pour moi, je le rappelle –, je penserais peut-être que mon pire cauchemar est devenu

réalité. Seulement, connaissant Chloé et sachant qu'elle n'a pas les cheveux noirs de jais, je me dis qu'elle a dû manigancer tout ça. Ce serait bien son genre…

De toute façon, je n'ai pas le temps de creuser le sujet : le Dislocœur surgit dans le hall ! S'il croyait me surprendre, c'est raté. Je protège Chloé et Sabrina derrière mon bouclier tournant. Puis, en un éclair, je bondis au-dessus du supervilain, j'attrape Chloé avec mon yo-yo et je la tire à l'extérieur, ficelée comme un saucisson.

— Cours ! je lui crie en la libérant.

Alors que Chloé et Sabrina s'enfuient avec le Dislocœur à leurs trousses, Chat Noir se dresse devant moi sur le trottoir. Il ne manquait plus que lui !

— Pas si vite, Ladybug ! m'arrête-t-il sur un ton menaçant, son bâton posé sur l'épaule.

— Je ne veux pas me battre contre toi, Chat Noir ! je le préviens.

La dernière chose dont j'aie envie, c'est d'affronter mon coéquipier. Cela me fait de la peine de voir qu'il me déteste – même si ce n'est pas sa faute. Non pas que je sois amoureuse de lui. Ah, ça, non ! Jamais de la vie ! Disons que je le considère comme… un ami. On partage tellement d'aventures ensemble ! Forcément, ça crée des liens.

Je me demande souvent qui il est en réalité. Peut-être que je le connais… En fait, je ne crois pas. Au collège, il n'y a aucun garçon aussi prétentieux – et doté d'un humour aussi douteux.

— Cette gentillesse, c'est vraiment insupportable ! s'énerve-t-il.

Je crois que je ne vais pas avoir le choix... Il bondit, son arme à la main. Vite, je saute sur un lampadaire pour l'esquiver, puis je m'élance vers les toits. Et c'est la course-poursuite ! Lorsque j'ai suffisamment d'avance, je me retourne et j'enroule mon yo-yo autour de son bâton.

Alors que je m'apprête à l'embrasser, le voilà qui détale. Flûte, j'y étais presque ! Il se met à courir sur les toits, comme un chat de gouttière. Je ne compte pas le laisser m'échapper !

— Minou, minou ! je l'appelle.

Le Disloceur est on-ne-peut-plus satisfait. Il a réussi à mettre Chat Noir dans sa poche. Un peu plus tôt, sur le toit, il lui a proposé son aide pour détruire Ladybug. En échange, Chat Noir devra lui rapporter le Miraculous de la super-héroïne.

Une nouvelle idée brillante de Papillon, évidemment.

En attendant que Chat Noir remplisse sa part du contrat, le Disloceur n'a qu'une idée en tête : se venger de celle qui l'a humilié. Chloé court à en perdre haleine, sous les railleries du supervilain.

— Ha, ha, ha ! Tu ne t'en tireras jamais ! ricane-t-il depuis les airs.

Paniquée, la jeune fille bifurque dans une ruelle sans regarder devant elle… et percute une rangée de plantes vertes. Elle s'écroule sur le trottoir, au milieu des pots renversés.

— Joyeuse Saint-Valentin ! lui souhaite méchamment l'amoureux éconduit en tendant son arc. Tu vas enfin recevoir ce que tu mérites.

Il s'attendait à voir Chloé trembler, ou même le supplier. Au lieu de ça, la blonde se relève, plus en colère que jamais. Elle est décoiffée, ses vêtements haute couture sont froissés… Bref, c'est la fin du monde. Qu'il la vise, si ça lui chante ! Au point où elle en est, elle s'en moque. Sa vie est totalement fichue, de toute façon.

— Tu ne mérites pas que je gâche une flèche pour toi, se ravise le super-vilain. Tout le monde sait que tu n'as pas de cœur, alors je ne vois pas à quoi ça servirait.

Fier de sa réplique, il s'envole en riant. Chloé n'en revient pas ! Pour

couronner le tout, Sabrina – qui a été touchée par le Dislocœur quelques minutes plus tôt – refuse de l'aider. Humiliation suprême : elle prend son amie en photo, le visage maculé de terre et le brushing saccagé !

Pas sûr que Chloé s'en remette un jour…

Deux adversaires
au lieu d'un

C'est la course au bisou à travers Paris. Si on m'avait dit qu'un jour, je devrais embrasser Chat Noir pour accomplir une mission, je ne l'aurais jamais cru ! Je vous jure, être une super-héroïne demande parfois d'énormes sacrifices...

Effarouché, mon coéquipier prend la poudre d'escampette, mais j'ai un atout de taille : mon yo-yo. Un lancer, et il se retrouve ligoté au pied d'un lampadaire.

Cette fois, je le tiens !

— Rassure-toi, chaton… je lui dis en approchant mon visage du sien. Je n'en ai pas plus envie que toi.

J'essaie de l'embrasser, mais il n'arrête pas de gigoter. Tant pis, je décide de lui pincer le nez pour l'immobiliser. Ah, si seulement c'était Adrien qui se tenait en face de moi, tout serait différent… Bon, le moment est venu. J'avance mes lèvres mais, pile à cet instant, une flèche noire passe entre nous. Le Disloceur !

Je file m'abriter derrière un arbre, sous une pluie de projectiles. Chat Noir rejoint le supervilain près de la fontaine du Palmier, un magnifique monument orné de grands sphinx. Tous deux se saluent et s'adressent des petits gestes complices. Ça alors, je n'en reviens pas !

S'ils ont fait copain-copain, les choses vont sérieusement se compliquer…

— Comment tu vas faire pour nous combattre tous les deux ? fanfaronne mon coéquipier avant de lever une main. Cataclysme !

Oh ! là, là ! La situation s'aggrave de seconde en seconde ! Puisqu'il veut utiliser son énergie destructrice contre moi, je ne vois qu'un seul moyen de me défendre : faire appel à mon pouvoir !

— Lucky Charm !

Je lance mon yo-yo en l'air. Celui-ci laisse aussitôt échapper des centaines de coccinelles

magiques, qui se transforment en... une pomme d'amour ?! Bon, OK, elle est super jolie avec sa forme de cœur et ses pois noirs, parfaitement assortis à ma combinaison. Mais ça ne me dit pas comment je dois m'en servir !

Allez, réfléchis, Ladybug... En scrutant les alentours, mes yeux se posent sur la fontaine, la main gantée de Chat Noir et la lanière du carquois du Dislocœur.

Ça y est, j'ai trouvé !

— J'ai un cadeau de Saint-Valentin pour vous ! j'annonce en sortant de ma cachette.

Mes deux adversaires passent à l'attaque. Le Dislocœur décolle et me mitraille sans relâche. Il est partout à la fois ! Je fais tourner mon yo-yo bouclier, à droite, à gauche, derrière, devant, l'œil aux aguets. Mais je n'ai pas le temps de dire ouf : Chat Noir se rue dans ma direction, mains tendues !

Je réussis à me baisser de justesse et à le tirer par la queue. Après un petit rebond sur sa tête, je m'élève dans le ciel, puis je jette la pomme d'amour sur le supervilain. Rageur, celui-ci parvient à se débarrasser de la friandise engluée sur son masque. Mais, au moment de charger à nouveau son arc, la flèche reste collée sur son gant plein de sucre. Impossible de tirer !

— Ladybug ! tonne-t-il, furieux.

Ça devrait l'occuper un petit moment. Maintenant, au tour de Chat Noir !

— À nous deux, mon minou ! je le défie du haut de la fontaine.

Alors qu'il se précipite sur moi, je saute de sphinx en sphinx. Mais Chat Noir finit par m'attraper et me plaque contre le sol. Pendant ce temps, le Disloœur tente désespérément de laver son gant dans la fontaine. Ma manœuvre de diversion a fonctionné comme sur des roulettes.

— Chat Noir, prends son Miraculous ! ordonne-t-il.

Papillon ne renoncera donc jamais !

Penché au-dessus de moi, mon coéquipier m'examine, une main levée.

— Je vais enfin savoir

qui tu es, Ladybug… souffle-t-il, prêt
à arracher mon masque.

Alors qu'il ne s'y attend pas,
j'attrape doucement son visage et je
l'embrasse. Je dois avouer que ce
n'est pas si désagréable que ça… Mais
Chat Noir ne doit jamais l'apprendre !
JA-MAIS ! Tel que je le connais, il
serait capable de s'en vanter pendant
des jours et des jours. Au secours !

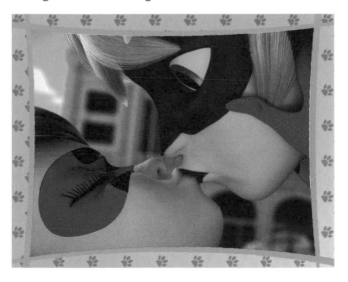

Quelques instants plus tard, il redevient celui qu'il était : agaçant, mais courageux et toujours là quand j'ai besoin de lui. C'est bien ça, le plus important, non ?

— Qu'est-ce que je fais là ? me demande-t-il, éberlué.

— On n'a pas le temps ! je lui réponds en le hissant sur mes épaules. Attrape la broche !

Attention, chaud devant – ou plutôt, chat volant ! Je le lance sur le Dislocœur, qui tombe à la renverse. Grâce à son pouvoir, mon coéquipier détruit la lanière du carquois qui retenait le bijou en moins de temps qu'il ne faut pour le dire. C'est ce qui s'appelle être efficace !

— Joyeuse Saint-Valentin, ma belle ! s'exclame-t-il en m'envoyant la broche.

Je me fais une joie de piétiner ce si charmant cadeau et de libérer le papillon maléfique qu'il contient. Puis j'ouvre mon yo-yo du bout du doigt.

— Je te libère du mal !

Après un bref passage à l'intérieur, l'akuma n'a plus rien de dangereux.

supposé se trouver au fond d'une corbeille à papier…

— « Tes cheveux sont dorés, tes yeux vert irisé… lit-il à voix haute. Quand je te regarde, j'aimerais partager tes rêves et tes pensées. Oui, je veux être ta Valentine. Ensemble, nous serons bien. Je t'aimerai pour toujours, mon cœur t'appartient. »

Pas de signature, hélas !
Au même instant, venue
d'on-ne-sait-où, une
coccinelle entre dans sa
chambre et vient se poser
sur la carte. Est-ce un
signe ?

Adrien soupire. Il aimerait
tant y croire…

Retrouve très bientôt
Ladybug et Chat Noir
dans une nouvelle aventure
en Bibliothèque Rose !

As-tu lu les premiers tomes des aventures de Ladybug et de Chat Noir ?

Une super baby-sitter

Un Chat de trop !

Au secours d'Alya

Un parfum de supervilain

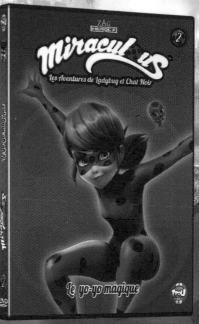

Table

PAPIER À BASE DE FIBRES CERTIFIÉES

⊟ hachette s'engage pour l'environnement en réduisant l'empreinte carbone de ses livres. Celle de cet exemplaire est de :

450g éq. CO_2

Rendez-vous sur www.hachette-durable.fr

Photogravure Nord Compo - Villeneuve-d'Ascq

Imprimé en Roumanie par G. Canale & C. S.A.
Dépôt légal : janvier 2017
Achevé d'imprimer : décembre 2016
72.7738.8/01 – ISBN 978-2-01-700426-4
Loi n° 49956 du 16 juillet 1949
sur les publications destinées à la jeunesse